Conception graphique et illustrations : Zapp

© 1995 Les Éditions Tormont inc.
338, rue Saint-Antoine Est
Montréal, Canada H2Y 1A3
Tél. (514) 954-1441
Fax (514) 954-5086

ISBN 2-89429-845-5

Imprimé en Chine

LE PETIT CHAPERON ROUGE

TORMONT

Il était une fois une petite fille du nom d'Amanda, qui vivait dans un village à l'orée de la forêt. Amanda portait toujours une cape rouge si bien que tous l'appelaient le Petit Chaperon rouge.

Un matin, un messager apporta une lettre chez le Petit Chaperon rouge.
– Oh, ta grand-mère est malade ! dit la mère d'Amanda à sa fille.
– Je pourrais lui apporter un peu de bouillon, suggéra Amanda.
– Tu as raison, répondit sa mère en préparant un panier de provisions.

Lorsque le panier fut prêt, Amanda mit sa cape rouge et dit au revoir à sa mère.

– Surtout, ne t'attarde pas en chemin, prévint sa mère. Ne t'éloigne pas du sentier, car les bois sont dangereux.

– Ne t'inquiète pas, maman, répondit Amanda. Je suivrai tes conseils.

Les fleurs du sous-bois étaient si jolies
qu'Amanda se mit à en cueillir à droite
et à gauche. Sans même s'en rendre
compte, elle s'éloigna peu à peu du sentier.
Elle ne vit pas le loup qui l'observait.

Au bout d'un petit moment, elle
rencontra le bûcheron du village.
– Que fais-tu toute seule dans les bois,
Petit Chaperon rouge ? lui demanda-t-il.
– Je cueille des fleurs pour grand-mère
qui est malade, répondit Amanda.
– Tu ferais mieux de retourner sur le
sentier, prévint le bûcheron. Il paraît
qu'un loup rôde dans les parages.

Le bûcheron reconduisit Amanda jusqu'au sentier. Mais quelques instants plus tard, elle vit des papillons et les suivit à travers bois. Soudain, le loup fut à ses côtés.

– Que fais-tu ici, Petit Chaperon rouge ? demanda-t-il en imitant la voix du bûcheron.

– Je vais voir ma grand-mère qui est
malade, expliqua Amanda.
– Laisse-moi te raccompagner jusqu'au
sentier, dit le loup. On dit qu'un loup rôde
dans le voisinage.
– Ça ressemble à quoi, un loup ? demanda
Amanda qui n'en avait encore jamais vu.

– Oh, ils ont de longues oreilles pourpres,
répondit le loup. Mais dis-moi plutôt où
demeure ta grand-mère !

Sans se méfier, Amanda lui expliqua
la route à prendre car, même si elle n'était
pas très obéissante, elle était très polie.
Ensuite, elle poursuivit son chemin.
Entre-temps, le loup prit un raccourci.

Le loup, hors d'haleine d'avoir couru, arriva chez la grand-mère et frappa à la porte.

– Qui est là ? demanda la grand-mère
sans quitter son lit.
– C'est moi, le Petit Chaperon rouge,
répondit le loup d'une voix aiguë.
– Comme c'est gentil de me rendre visite !
Entre, ma chérie, dit la grand-mère.
Le loup entra, bondit sur la grand-mère
et l'avala d'un seul coup sans qu'elle n'ait
le temps de réagir.

Le loup s'empressa
de chercher, dans le
placard de la grand-mère,
une chemise de nuit qui
lui plaisait. Il se coiffa
d'un bonnet de nuit et
se parfuma derrière
les oreilles.
Lorsqu'il fut tout
habillé, il s'admira
devant le miroir et
s'exerça à imiter la
voix de la grand-mère.
– Comme c'est gentil !
Entre ! fit-il plusieurs
fois jusqu'à ce qu'il
soit satisfait.

19

Lorsque le Petit Chaperon rouge
frappa à la porte, le loup bondit dans le lit
et cacha son museau sous la couverture.
– Qui est-ce ? demanda-t-il d'une voix
chevrotante.
– C'est moi, le Petit Chaperon rouge,
répondit Amanda.
– Entre, ma chérie, fit le loup. Amanda
posa son panier sur la table de la cuisine,
puis déposa un baiser sur la joue de sa
grand-mère.
– Pauvre grand-mère ! s'exclama-t-elle.
Tu n'as vraiment pas l'air bien. Je vais te
préparer un repas chaud.

– C'est une excellente idée, dit le loup.
– Comme ta voix est forte et chevrotante, fit remarquer Amanda tout en coupant une tranche de pain et en faisant chauffer la soupe.
– C'est pour mieux t'accueillir, mon enfant, répondit le loup.

– Cette soupe devrait te
faire du bien, dit Amanda
en apportant un gros bol de
soupe à sa grand-mère.
C'est celle que tu préfères.
– Merci, ma chérie, dit le
loup.
– As-tu mal aux oreilles,
grand-mère ? demanda
Amanda en remarquant
les bosses sous le bonnet
de nuit.
– Elles sont un peu
enflées, mais c'est pour
mieux t'entendre, mon
enfant, répondit le loup.
Tandis qu'il parlait, son
museau se découvrit.
– Oh, comme tu as de
grandes dents, grand-mère !
s'écria Amanda.
– C'est pour mieux te
manger, mon enfant !
hurla le loup.

25

En une bouchée, le Petit Chaperon rouge rejoignit sa grand-mère dans le ventre du loup. Enfin rassasié, il décida de faire une petite sieste. Mais il se mit à ronfler si fort que le bruit attira l'attention d'un chasseur qui passait tout près. « Il y a quelque chose qui ne va pas dans cette maison », se dit-il.

Le chasseur frappa à la porte de la maisonnette, mais le loup dormait si profondément qu'il n'entendit rien. Il ouvrit alors la fenêtre. Dès qu'il vit le loup endormi dans le lit de la grand-mère, le chasseur chargea son fusil, l'épaula et tua l'animal.

Pour être certain que le loup soit bien mort, le chasseur se pencha et écouta son cœur; c'est alors qu'il entendit des voix étouffées qui criaient à l'aide. Il éventra le loup, et la grand-mère et le Petit Chaperon rouge sortirent saines et sauves.

– J'ai eu si peur, grand-mère, soupira le Petit Chaperon rouge. Je promets de ne plus jamais m'éloigner du sentier.

– Tu viens d'apprendre une leçon importante, dit sa grand-mère.

Peu après, le chasseur raccompagna le Petit Chaperon rouge chez elle.

– Te voilà enfin, Amanda ! s'exclama sa mère. Comment va ta grand-mère ?

– Je pense qu'elle va beaucoup mieux, affirma le Petit Chaperon rouge.